トガリ山のぼうけん②

ゆうだちの森

いわむら　かずお

理論社

もくじ

こんやも、トガリィじいさんのへやにやってきたのは、三びきのトガリネズミの子どもたちだ。名前は、キッキにセッセにクック。近くに住む、トガリィじいさんのまごたちだ。みんな、トガリィじいさんの話が大すき。

「よぉし、トガリ山のぼうけんの、つづきをはじめよう」

トガリィじいさんが、じょうきげんでいった。

「わーい、トガリ山のぼうけん！」

キッキがさけんだ。

「やったぜ」

セッセが、パチッとゆびを鳴らした。

「トノサマバッタのトノサマを食べる話！」

クックが、目をかがやかせた。

「その話は、もうきいたろ」

セッセがいうと、

「じゃ、岩になったサル、イワザルの話！」

クックが右手をつきあげた。

「それも、もうきいたじゃないか」

セッセが、口をとがらせて、クックをにらみつけた。

「じゃぁ……」

クックが、てんじょうを見あげて考えていると、

「つづきっていうのは、きのうきいた話の、その先の話なの。だから、

クックがまだしらない話よ」

キッキが、まるでおかあさんみたいにいった。

「そうそう、こんやの話は、ゆうべのつづきだ。さて、ゆうべはどこまで話したかな。ちょっと、おさらいをしてみよう」

トガリィじいさんは、にこにこしながら、三びきの顔を見まわした。

「わしが、トガリ山めざして出発したのは、いい天気の朝だった。草原を歩いていくと……」

「ルリシジミやジョロウグモにあったんだ」

セッセがいうと、

「風や雲がうまれるところを見てき

てっていったの、ね」

キッキが、首をななめにしてトガリィじいさんを見た。

「ミズスマシも、シオカラトンボもいたよ」

クックもまけずにいった。

「そうだったな。それから、ギボウシの葉(は)の上で、テントウムシのテントにあった。話してるうちに、わしたちは、いっしょにトガリ山へのぼることになった」

「テントって、なにかのてっぺんからじゃないと、うまく飛(と)び立てないんだって。かわってるよな」

セッセが、鼻(はな)を上にむけて、てっぺんをつくった。

「ぼくも、テントウムシとともだちになるんだ」
クックも、てっぺんをつくった。
「わしのリュックサックには、ほしたミミズが、ロールになって入っていたが、それは、食べるものがないときのひじょう食だ。わしは、トノサマバッタのトノサマバッタをつかまえて食べた。バッタの元気が、わしの体の中で、わしの元気になった。草原をぬけると、ふかい谷川にでた。岸に、大きな岩のイワザルがいて、かなしそうな顔をしてうずくまっていた」
「そこに、あいつがいたんだ」

クックが、いすから立ちあがっていった。

「きゅうにイワザルが立ちあがったので、あいつは、びっくりしてにげだした」

セッセも立ちあがった。

「そうよ、あいつって、なにものなの。はやく話して」

キッキが、いすにすわったまま体をゆすった。

「わかった、わかった。それじゃ、ゆうべのつづき、トガリ山のぼうけんの話をはじめるとしよう」

トガリィじいさんは、鼻をひくひくと動かして、めがねにちょっと手をやった。

1

あいつの目玉

谷にたおれた大木の橋をわたると、森の中を、ほそい山道が、沢にそってのぼっていた。山道の両がわには、大きな岩が、ゴロゴロころがっていた。岩も土も木の根っこも、コケにおおわれていて、森はどこを見てもみどりいろだった。わしとテントは、ふかふかのコケのジュウタンの上をすすんだ。しばらくのぼってふりかえってみると、イワザルのすがたは、もう森にかくれて見えなかった。

ドドォーという谷の音はだんだん遠くなって、沢を流れる水たちのうた声が、すずしげにきこえてきた。

沢を見おろしながらのぼっていくと、四角い大きな岩が、高いかべになって行く手をふさいでいた。近づいてみると、道は二つにわかれていた。一本は岩にそって左にまがり、もう一本は、岩のわれめの中に入っていた。われめはせまく、わしたちトガリネズミやノネズミのような、小さな動物しかとおれない道だった。

さっきのあいつ、大あわてで走って行ったあいつは、あの大きな体だ。左の道を行ったにちがいない。わしたちは、岩のわれめの道をすすんだ。トガリネズミ一ぴきが、やっとどおれるほどのほそい道が、トンネルになってまっすぐつづいていた。

入口からの光がとどかなくなり、トンネルの中がくらくなってくると、前の方に、みどりいろのあざやかな線が見えてきた。近づいていくと、それが出口であることがわかった。岩のわれめのそとに、森の、明るいみどりいろの光があふれていたのだ。

わしたちが、そとにでようとしたとき、ふいに光がさえぎられ、目の前がくらくなった。見あげると、そこに、金いろの大きな目玉があった。目玉は、わしたちをじっと見つめていた。わしは、ゆっくりあとずさりした。

「なんだ、これ、それ、あれ」

テントが、わしの頭の上でさけんだ。金いろの目玉は左にゆっくり動(うご)いて見えなくなった。すると、すぐ

に、もう一つの目玉が右からゆっくりあらわれた。やっぱり、わしたちを、じっと見つめている。

「きっと、さっきの、あいつだ」

　わしがささやくと、

「あいつだ、きっと、さっきの」

テントもささやいた。わしは、ゆっくりわれめのおくにもどった。

「どうしよう」

　わしは、すわりこんで考えた。いままで見たこともないあいつは、どんな生きものかわからない。だから、なにをするかもわからない。

　とにかく、トンネルの中にいれば安全だ。しばらくようすを見ることにした。

「テント、あいつ、どんなやつだと思う」

　大きな目玉は、まだじっとこっちを見ている。

「あいつは目玉じゃない。あれは、あいつの目玉」

テントがそういったとき、目玉はゆっくり右に動い

て、また、もう一つの目玉があらわれた。

「あいつの目玉は、二つ」

テントがいった。

「あいつの目、なにかをこわがっている目じゃないか」

わしがいうと、

「あいつの目、二つとも、こわがっている」

テントもいった。さっきから、こっちをじっと見ているあいつの目を、こっちからじっと見ていると、なんだかそんな気がしてきたのだ。そういえば、イワザルのところからにげてきたときも、ずいぶんあわてていた。いくらきゅうにイワザルが立ちあがったからといって、あんなにあわてなくても、よさそうなものだ。
もしかすると、あいつは、こわがりなのかもしれない。
「テント、あいつがいなくなるまで、ここでまってい
るのも、時間のむだだろ。ちょっと、あいつをおどか
してみないか」
「どうやって、どんなふうに」
「ふたりで、思いきり大声をだして、思いきりこわい
顔をして、あいつの目玉にむかって走るのさ。きっと、
おどろいてにげだすよ」
「きっと、おどろくかな、きっと、にげだすかな」
「だめでもともと、やってみよう」
わしとテントは、トンネルの入口近くまでもどった。
「じゅんびいいかい」
わしが、てっぺんをつくると、テントはてっぺんに
のぼってきていった。
「いいよ、じゅんび」
「それ！」

わしがいうと、

「えい！」テントがいった。

「ケッケッケッケッケッケッケッ――」

わしは大声でさけびながら、出口にむかって走った。

「ピッピッピッピッピッピッ――」

テントも大声でさけびながら、出口にむかって飛んだ。

二つの大きな目玉が、右に動き、左に動き、はげしく入れかわった。カロン、カロリン、と音がした。大きな目玉が、こわそうにゆがんだ。

わしとテントが、あいつにぶつかりそうになったとき、あいつは、キューッと鳴いた。

目玉はにげだした。わしとテントは、そのままわれめのそとにとびだした。

にげていくあいつのうしろすがたが見えた。

「あいつって、ほんとに、こわがりなんだね」

クックがいった。

「あいつって、なんだか、へんなやつだな」

セッセが首をかしげた。

「あいつは、キューッと鳴いた」

キッキがいうと、

「カロン、カロリン、と音がした」

クックが、あごに手をやった。

「大きな目玉」

セッセがいうと、

「金いろの目玉」

とキッキ、

「目玉は、ふたつ」

とクック。

「ふーむ、あいつって、いったいなにものなんだ」

セッセが、うでぐみをすると、

「ね、ね、なにもの?」

クックが、トガリィじいさんのチヨッキをひっぱった。

「とにかく、かわったやつさ、あいつは。わしも、はじめは、あいつがどんなやつかわからなかった。なによりこまるのは、あいつが、わしやテントを食べる生きものなのかどうかが、わからないってことだ。そんなときは、ようじんするのがなによりだ。じゃ、つづきをはじめよう」

トガリィじいさんが、ちょっとおしりを動(うご)かして、すわりなおした。

2

旅(たび)にでる木

あいつが、いくらこわがりでも、まちぶせされて、おそわれたらたいへんだ。なにしろ、わしの三十倍もある大きなやつだからな。あいつが、もっと遠くへ行ってしまうまで、わしとテントは、時間をつぶすことにした。

「ひまなときは、食べるものをさがすのが一番」

わしがいうと、

「食べるのが一番、ひまなとき」

と、テントがいった。てっぺんからテントを飛ばしてやると、わしはさっそくミミズをさがした。沢の方におりて石をひっくりかえすと、小さなミミズが一ぴきねそべっていた。きゅうに明るくなったのに、ミミズは目もさまさないでねむっている。のんびりしたミミズだ。わしは、にげようともしない、あばれもしないミミズを、食べる気になれなかった。わしは、石をそっともとにもどしてやった。それでもちびミミズは、スースーねむったままだった。

たおれてくさっている木があった。もう、土のようにぼろぼろになっている。見ると、ミミズのしっぽが、あなから、ちょこんととびだしていた。わしは、そっと近づいて、そいつを両手（りょうて）でしっかりつかんでひっぱった。ミミズは、ずるずるとでてきた。三センチほどでたときだ。ミミズはふいに、キュンとさけんでひっこんだ。ひっぱられたはずみで、わしは、鼻先（はなさき）をいやというほどぶつけてしまった。はじめ、ミミズがあんまりかんたんにでてきたものだから、つい、ゆだんしてしまったのだ。

　だいじなわしのてっぺんを、けがしてしまってはたいへんだ。わしは、沢（さわ）におりて、水で鼻先をひやした。水はつめたく、くしゃみがでそうだったが、うわくちびるをかんでがまんした。

　鼻先を水につっこんでいるところに、テントがかえってきた。

「どうした、なんで、なにしてる」

テントは、わしのしっぽにおりると、背中づたいに頭へのぼってきて、しんぱいそうに鼻先をのぞきこんだ。わしが、ミミズにやられた話をすると、テントは、クククとわらって、

「トガリィのてっぺんは、ぼくのてっぺん。だいじに、おだいじに」

といった。

わしたちは、出発することにした。山道をしばらくのぼっていくと、まるい大きな岩が道のそばにころがっていた。そして、へんてこな木が、太い根っこで、そのまるい大岩をにっちりとつかんでいた。

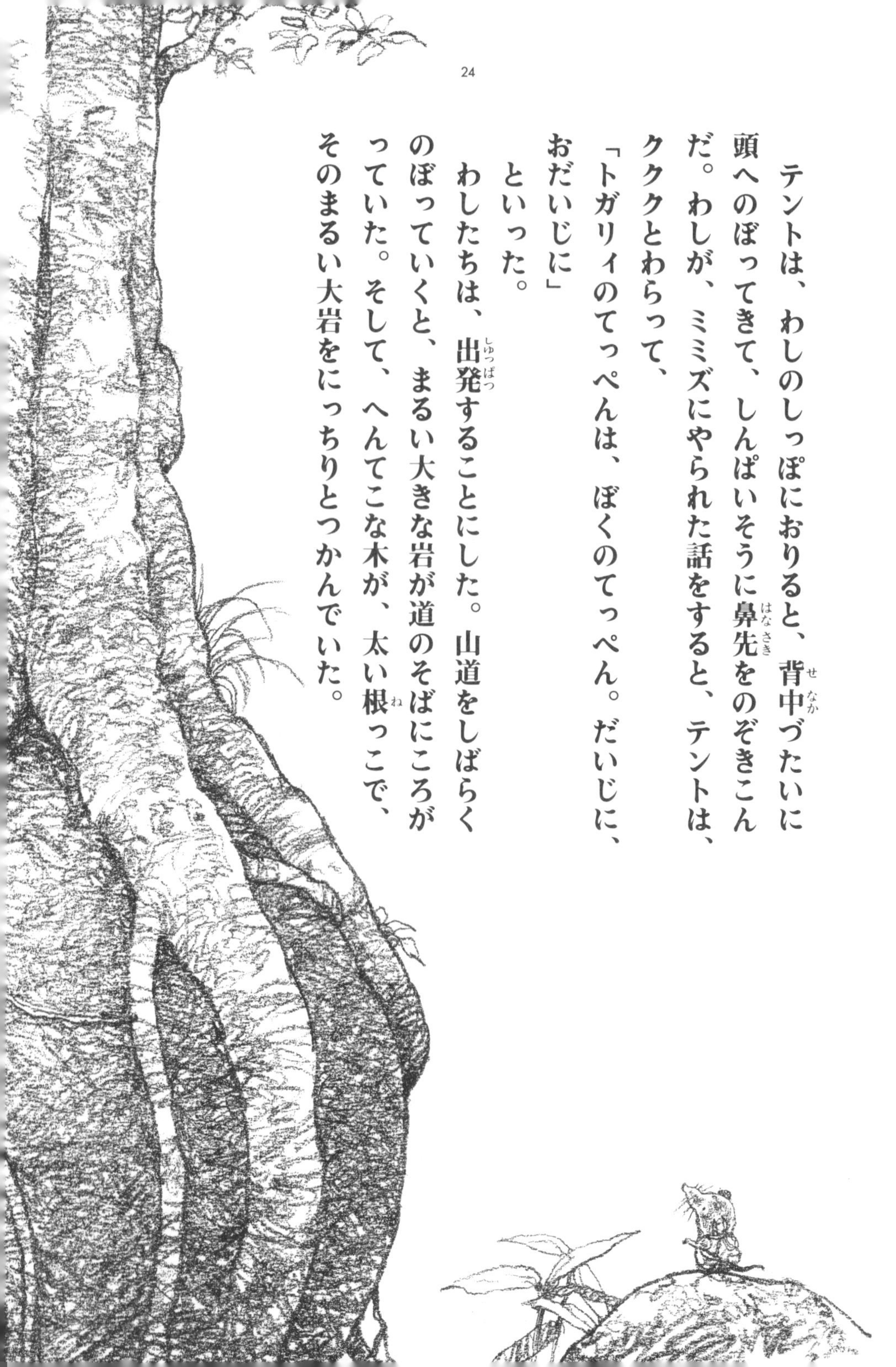

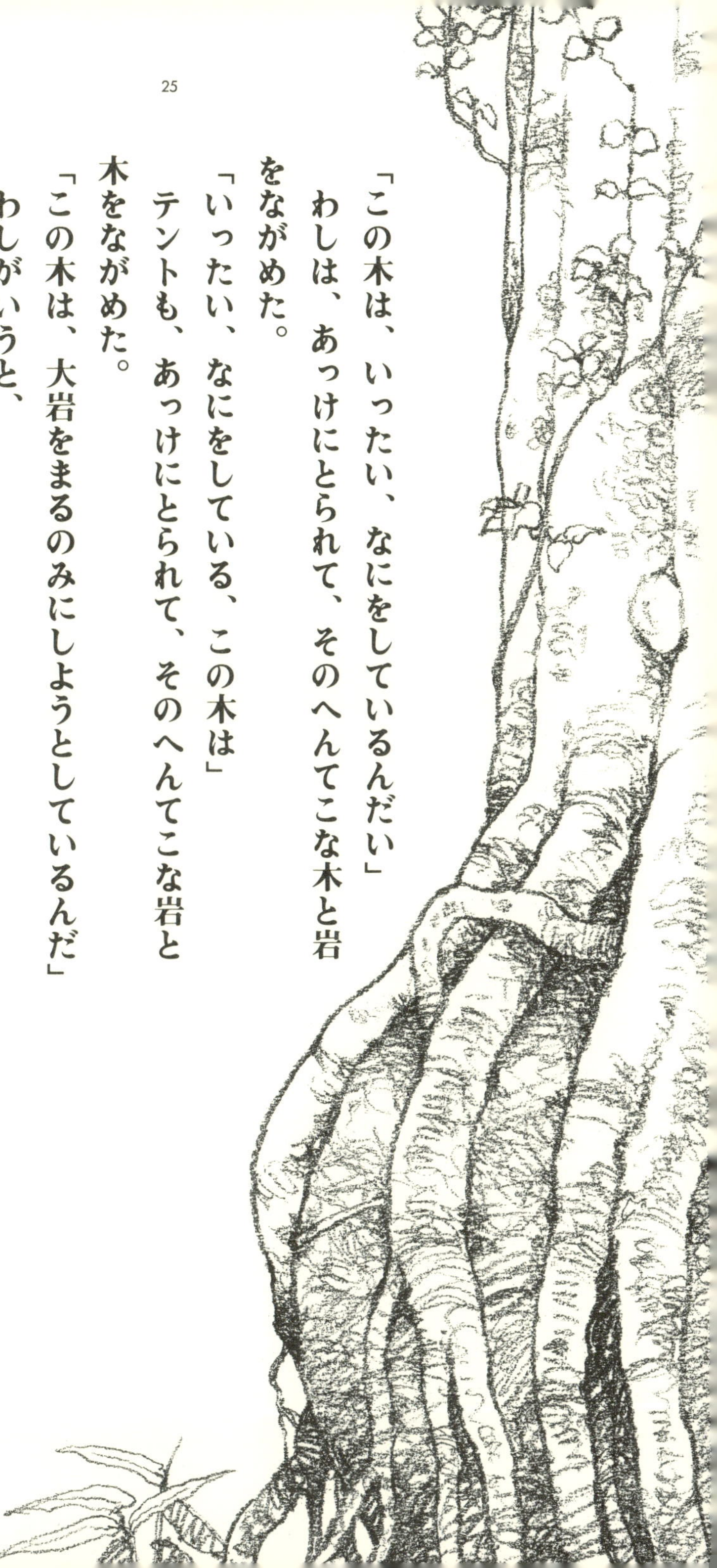

「この木は、いったい、なにをしているんだい」

わしは、あっけにとられて、そのへんてこな木と岩をながめた。

「いったい、なにをしている、この木は」

テントも、あっけにとられて、そのへんてこな岩と木をながめた。

「この木は、大岩をまるのみにしようとしているんだ」

わしがいうと、

「まるのみ！」

テントはびっくりして、

「まるのみは、大岩もくるしい、木もくるしい」

といった。

「じゃ、この木は、大岩をつかんで、沢(さわ)のむこうへ投(な)げるつもりなんだ」

わしが、岩を投げるまねをすると、

「投げる?」

テントは、木と大岩をじっと見つめた。

「ちがう。この木は、大岩がすき。投げたら、大岩はかえってこれない」

テントが、ゆっくりといった。テントにそういわれれば、この木は、この大岩がすきで、こうやってつかんでいるのかもしれないと思えてきた。

「じゃ、この木は、大岩にのって、旅(たび)にでようとしているんじゃないか。まるい大岩をころがしてすすんでいけば、大岩とも、いつまでもいっしょさ」

わしが、とくいになっていうと、

「うん。この木は、旅にでるところ、大岩にのって」

テントがうなずいた。

木というやつは、芽(め)をだして根(ね)をおろしたところから、一生動(うご)くことができないのだ。木だって、じぶんのしらないところへ行ってみたいと思ったって、ふしぎじゃないさ。どんな木だって、いっしょうけんめい背(せ)のびして、遠くを見ようとしているだろう。

「でも、なかなか、動かない」

テントは、木と大岩を見つめていった。

「木のやることといったら、とてものろいのさ。たしかに、この木と大岩は動きはじめている。だけど、ぼくたちの目には、とまっているようにしか見えないんだ」

「ふーん。動いているの」

テントは、わしの鼻先(はなさき)へきて、また、じっと木と大岩を見つめた。

「この木が動くところを、たしかめようと見ていたら、ぼくの一生もテントの一生も、それだけでおわりさ。木というやつは、やることはゆっくりだが、ぼくらの何百倍(ばい)も、何千倍も長生きするって、じいさんがいっ

てた」

「何百倍(ばい)?何千倍?」

テントはびっくりして、わしの鼻(はな)の上でひっくりかえり、そのままころがりおちた。

「だいじょうぶか。テント」

テントは、小さな杉(すぎ)の木の根(ね)もとでもがいていた。

「やっぱり、ぼくは、転倒虫(てんとうむし)」

テントは立ちあがると、なさけない顔でいった。

テントが、小さな杉の木のてっぺんへよじのぼったときだ。杉の木がゆれて、どうじに、わしがのっていたひらべったい石が、むくむくと動(うご)いた。わしはあわてて杉の木にしがみついた。あぶなく、転倒(てんとう)ネズミになるところだった。この森では、大きな木だけじゃなく、こんな小さな杉の木まで、旅(たび)にでるのか。

3

杉(すぎ)の木を背(せ)おったカメ

「やや！」

小さな杉の木の根もとの、みどりいろのひらべったい石の下から、黒い首がニューッとでた。つづいて、足が二本、手が二本、ニューッ、ニューッとでた。そのたびに、わしの体は、杉の木といっしょにゆれた。いつのまにか、シッポも一本でていた。

カメだ。

「びっくりしたぞ。石がきゅうに動きだすなんて」

わしがいうと、

「なにが石なもんか。あたしゃ、うまれたときから、ずっとカメだよ。もう、六十年も昔からカメをやって生きてきたのさ」

カメが、ゆっくりと首をねじって、わしを見ながらいった。テントが、杉の木のてっぺんから、わしの頭へもどってきた。

「おや、テントウムシもいっしょかい。ところで、あんたがた、どこへ行くのかね」

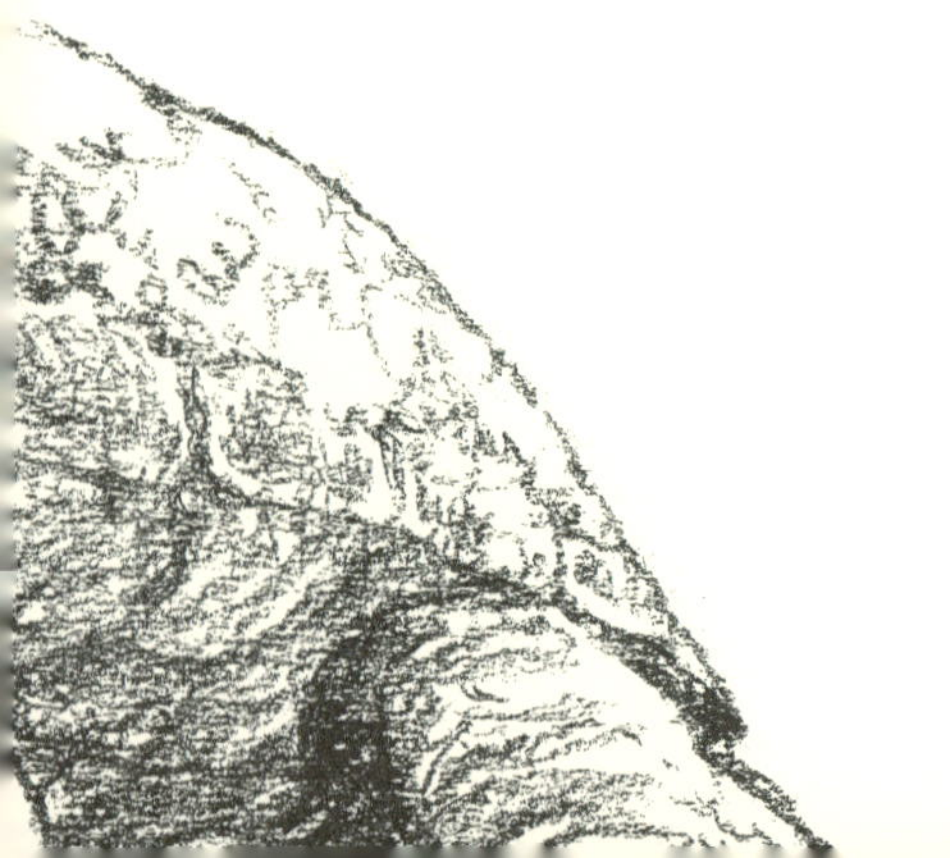

「これから、
トガリ山のてっぺんへのぼるのさ」

　わしが答えると、カメは、わしの顔をしっかり見ようと、ねじった首をせいいっぱいのばした。

「それはちょうどいい、じつはあんたさんにたのみがあるんだ。あんたさんがしがみついていた、その杉の子だけど、それをあたしの背中からぬいて、トガリ山のてっぺんまでつれていってほしいんだ」

　カメは声をひそめていった。

　わしは、杉の木から手をはなして、カメの背中からおりた。カメは、ねじった首を、ゆっくりもとにもどした。

「杉のやつ、いつのまにか、あたしの背中にたねをおとし、芽をだしちまったのさ。どうしてあたしの背中なんかに芽をだしたんだと、きいてみたが、杉はまだあかんぼで話がつうじない。よくもあたしの背中なんかで芽をだしたもんだと思うと、なんだかかわいくなって、そのままにしていたんだが、どうもだんだんしんぱいになってきた。ひと月ふた月とたつうちに、杉の子はぐんぐん大きくなりはじめた。歩くにはおもくなるし、池にとびこめば、体がういてしまってなかなかもぐれない。このままほうっておいたら、あたしゃ、この杉といっしょに、動けなくなってしまうと、しんぱいになってきた」

カメは、うわ目づかいにちょっと杉を見て、話をつづけた。

「ところが、いっしょにくらすうちに、あたしゃ、杉の子の気もちや、いってることが、すこしずつわかるようになってきた。この杉の子は、トガリ山の

てっぺんに根をはって、
トガリ山一番の杉になりたいなんて、
とほうもないことをいうようになった。そしてこのあ
たしに、トガリ山のてっぺんまで行ってくれというの
さ。あたしには、あんな雲の上まで行くのはとてもむ
りなこと。だいいち、トガリ山のてっぺんが、あたし
らカメがくらせるところかどうかも、わかりゃしない」
カメは、ゆっくりまばたきをして、うっすらとうか
んできたなみだを、目の中にしまいこんだ。
「大きなゆめをもつのはいいことだ。しかし、あたし
や、杉の子の気もちに答えてやることができない。い
まは、杉の子を背おったままそのあたりを歩くことは

できるが、あと何年かしたら、杉の子はもう、あたしの手におえなくなるだろう。大きスギる！などと、じょうだんもいってられないだろう。ほら、そこの、まんまる大岩を見ておくれ。へんてこな木につかまって、にっちもさっちもいかなくなっているじゃないか。いまは、あたしの杉の子だけど、そのうち、あたしゃ、まるごと杉のものになっちまうよ」

カメは、首をひねって、背中の杉を見て、目をしばたいた。わしは、カメが気のどくに思えてきた。テントも、わしの頭の上にすわりこんで考えている。するとカメがいった。

「さっき、ここを、へんなネコがとおったんだ」

ネコ、はじめてきく名だった。

「ネコ？」

「そう、ネコさ。かわったことをいうネコでな」

「そいつは、ヒゲをぴんとのばし、長いシッポをひきずって、金いろの目をしていたかい？　それに、首に

まるいものをぶらさげていた」

わしが、口ばやにいうと、カメは、

「そうそう、そのネコだ」

と、ゆっくりといった。あいつはネコという生きものだったんだ。

「あいつ、ネコ」

テントがつぶやいた。

「あたしゃネコに声をかけた。さっき、あんたさんにきいたようにな。すると、ネコは、あんたさんのように、これからトガリ山にのぼるというんだ。トガリ山にのぼって、りっぱな山ネコになるんだって、この杉

の子みたいなことをいうじゃないか。すずをつけた山ネコなんてきいたことがないがね」

「すず？」

「首にぶらさげた、まるいすずだよ。あれは、人間にかわれているネコがつけているものさ。あたしゃ、むかし、そんなネコを見たことがある」

「人間？かわれている？」

わしには、なんのことかよくわからなかった。カメは話をつづけた。

「あたしゃしんぱいだったが、ネコに、この杉の子をぬいて、トガリ山のてっぺんまでつれてってくれとたのんだ。ところがネコは、はらがへっていて、そんな力がないというのさ。山ネコになろうというのに、ノネズミどころか、バッタ一ぴきつかまえることができないらしい。木の実や草を食い、水をのんで、いのちをつないでいるというじゃないか。そんなネコに、あたしの杉の子のことをたのむ気にはなれなかった。

それで、元気のいいあんたさんに、たのんだってわけさ」

トガリネズミをこわがり、バッタもつかまえられないネコが、なんでりっぱな山ネコになろうなんて考えるんだ。かわったやつだとわしは思った。しかし、カメのたのみには、わしもこまってしまった。

「ぼくは、元気だけれど、こんな小さな体で、杉をトガリ山のてっぺんまではこぶなんて、とてもむりだよ」

「とてもむり、こんな小さな体で」

テントもつぶやいた。

わしとテントとカメは杉を見つめた。杉は、わしたちの話がわかっているのだろうか。わしには、杉がち

よっぴりうなだれているように見えた。

「そうだ！」

そのとき、いい考えがうかんだ。

「杉の実を、トガリ山のてっぺんにうえたらいい」

わしがいうと、

「…………？」

カメは首をあげて目を大きくひらいた。

「杉の実だったら、ぼくだってもって行けないことはないし、鳥にだってたのめるじゃないか。そして、トガリ山のてっぺんで芽をだすのさ」

「なるほど……。しかし、実がてっぺんで芽をだしたとして、この杉の子が、てっぺんに行ったことになるのかね」

カメは首をまげて、ななめにわしを見た。

「じぶんの実なんだから、じぶんが行ったのとかわらないと思うな」

わしがいうと、

「じぶんの実から芽を
だした杉は、じぶんの
子どもということになる」
　とカメがいった。
「じぶんの実は、じぶん?じぶんの子は、じぶん?」
　テントが首をかしげた。
「じぶんの実から芽をだしたからといって、じぶんの
子はじぶんじゃないけど、じぶんのいのちがトガリ山
のてっぺんに行ったことにはなるじゃないか」
　わしがしゃべると、早口にきこえるらしい。カメは
首をのばし、耳のあなをわしの方にむけて、目をパチ
パチやってきいていた。
「ふむ、いのちか。じぶんの子にはじぶんのいのちが
つながっている。あんたさん、若いのにおもしろいこ

とをいう。たしかに、この杉の子のいのちが、てっぺんにのぼったことになる。あんたさんの考えは、いい考えだと思う。だが、この杉はまだ子どもだ。実をつけていないんだ」

杉を見ると、たしかにまだひとつの実もつけていない。わしは、杉にむかっていった。

「いまはとにかく、カメの背中からおりて、この森でしっかりと根をはるんだ。そして、たくさんの実をつけるのさ」

「どうだい、トガリネズミのいうとおりにするのが、おまえにとってもあたしにとっても、一番いい方法だと思うが」

カメも背中の杉にむかってゆっくりといった。

「おお、そうかそうか。わかってくれたか」

カメが大きくうなずいた。わしにはきこえなかったが、杉はわしたちのいうとおりにする気になったらしい。

「わかってくれたか、そうか、おお」

頭の上で、テントがつぶやいた。

4　かわいいスギ

わしは、カメの背中にもどると、杉の木の根もとにしがみついて、力いっぱいひっぱった。だが、わしの背たけの二倍ほどに大きくなった杉の木はなかなかぬけない。コケにおおわれたカメの背中いっぱいに、しっかり根をはっていたんだ。

カメは立ちあがって、そばの岩にだきついた。わしは、つなひきみたいに、杉の木をひっぱった。

「えい！えい！えい！」わしの顔の前で、テントがさけんだ。わしは、ありったけの力をしぼってひっぱったが、それでもぬけない。

わしは考えた。リュックサックにつけたロープをはずして杉にしばりつけ、それから、近くの岩にひっかけた。わしがひっぱるとどうじに、カメも、前にすすみながらひっぱるというわけだ。カメは顔をまっかにしてがんばった。テントも、飛びま

わりながら顔をまっかにして「えい！えい！えい！」とさけんでいる。ひっぱりながらよこ目で見ると、カメの首は、もう、こうらからぬけてしまうのではないかと思うぐらい、前へつきだしていた。

とうとう杉は、ミシミシと音をたてて、コケごとカメの背中からはがれたぞ。はずみで、わしもテントもカメも、コケの上に、コケた。

カメは、あおむけにひっくりかえって、もがいていた。首とシッポもふって、なんとか、おきあがろうとしている。そのよこで、テントもあおむけになって、くるくるまわっていた。

テントは手をかしてやると、すぐにおきあがったが、カメはたいへんだ。もがいても、首をふっても、なかなかおきあがれない。

こうらをもちあげてやろうとしたが、わしの力ではむりだった。そこで考えた。カメのおなかのはじの方にのって、カメの体をゆすったのだ。

「えい、えい、えい」

テントが、カメの上を飛びまわりながら、おんどをとった。わしがはねると、カメもそれにあわせて、手足と首とシッポをふった。体がだんだん大きくゆれてくると、「うぉーん！」カメがさけんだ。わしは、さいごのひとけりをして、カメのおなかからとびおりた。

カメの体は、ゆっくりまわって、もとにもどった。

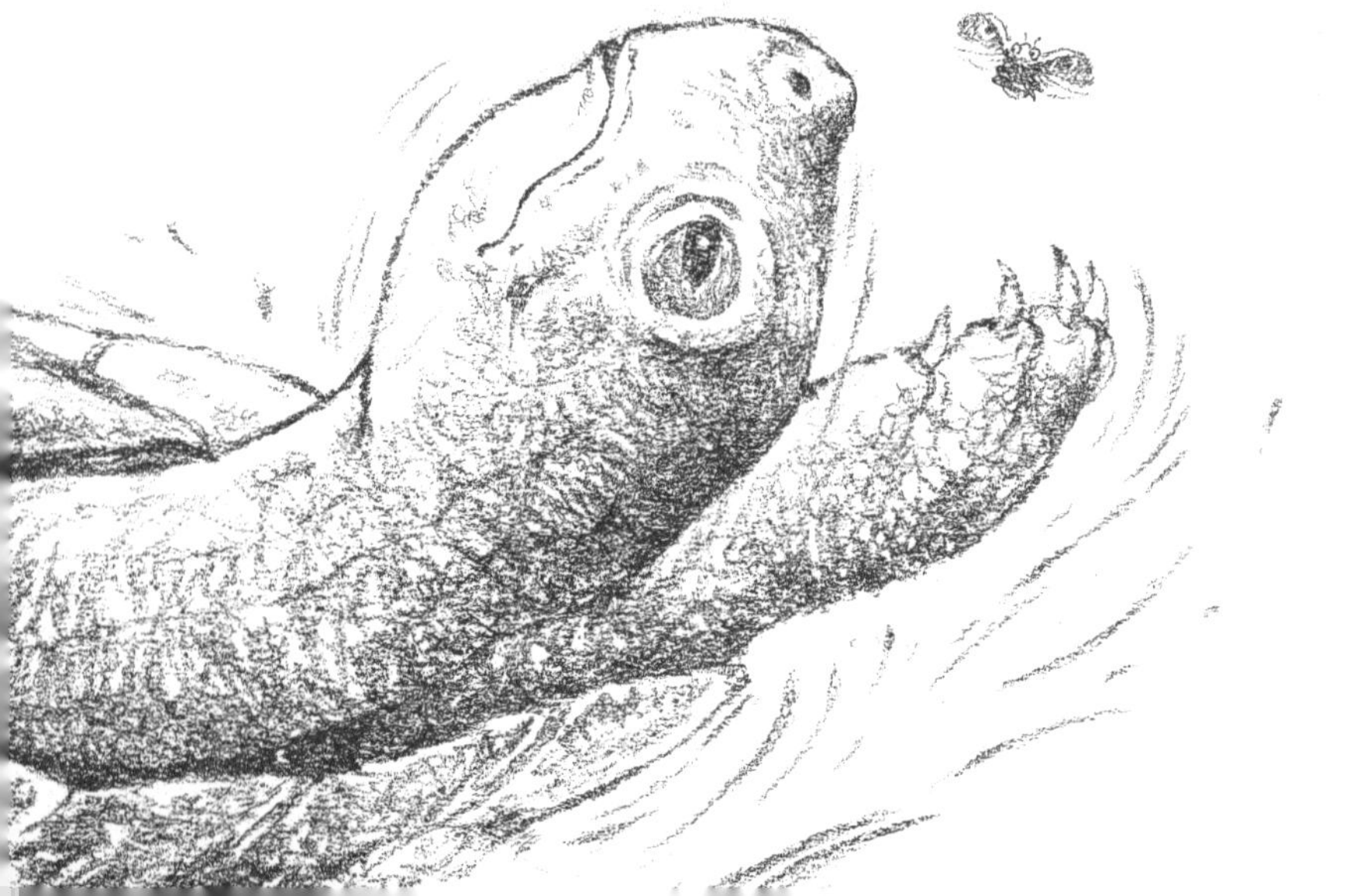

カメは、あらい息をしながら、ぐっと、つばをのみこんだ。

「や、や、や、ありがとよ。ありがとよ」

カメは、目を白黒させて、ペコペコと頭をさげた。

「さて、この杉の子を、はやく、うえてやらねばなあ」

カメは、石のないやわらかそうなところをえらんで、手で、地面をほりはじめた。もちろん、わしもてつだったさ。テントは、杉の葉にとまって、わしたちを見ている。

「考えてみると、このごろ、あんなふうに、あおむけになることはなかった。それは、この杉の子のおかげだったってことに、いま気がついた」

カメが、土をほりながら、ゆっくりといった。

「坂をころがっても、この杉のおかげで、あおむけにならずに、すぐ立ちあがれた。杉の子が、背中からとれたら、やっとそのことに気がついた。六十年もカメ

をやっていながら、そんなことに気がつかずにいるなんて、あたしも、まだまだ、一人前のカメとはいえないよ」

カメは小さくため息をついて、よこになっている杉を見た。

「杉が背中に芽をだしたのは、いつごろなの？」

土をほる手を休めて、わしがきくと、

「さて、いつだったかな。もう、かれこれ、半年も前になるかな。それに気がついたのは、あったかい春の日だったよ。池のふちで、日なたぼっこをしているとな、背中に、風をかんじたんだ」

カメも、土をほる手を休めていった。

「あんたさんたちも、体で風をかんじることがあるだろ」

「うん、ぼくのひげは、いつだって、風をかんじてるよ」

わしがいうと、

「ぼくの羽(はね)も、かんじてるよ。どんな、小さな風だって」

テントがいった。

「体がぬれているときは、こうらの背中だって風をかんじるけど、そのとき、こうらはかわいていたんだ。それなのに、いつもとちがう風が、背中の上をとおっていったのをかんじた。へんだぞ、あたしゃ、なにげなく思ったんだ。だが、そのときは、そのまま、たしかめもしなかった」

カメは、また、土をほりはじめながら、話をつづけた。

「それから二、三日たって、おなじように、あったかい日があった。また、池のふちで、日なたぼっこをしていると、きいろいチョウが飛(と)んできて、あたしの背中にとまったんだ。それまで、そんなきれいなチョウが、背中にとまってくれたことなんかないから、あたしゃうれしかった。『いいようきだね』と声をかける

と、『カメさんのスギ、かわいいスギ』と、チョウが小さな声でいった。『えっ、かわいすぎる!?』チョウのいったことが、はっきりわからなかったものだから、あたしゃ、じぶんのことをいわれたのかと、あわててしまった。年がいもなく、はずかしいじゃないか。すると、チョウがはっきりいったんだ。『カメさんのスギ、かわいいスギね』あたしゃ、思いきり首をのばして、背中を見たんだ。チョウは、あたしの背中に芽をだしたばかりの、小さな杉のあかんぼにとまっていたってわけさ」

カメは、手でほった土を、足であなのそとにおしだした。顔の上にのった土を、ゆっくりふりおとして、また話をつづけた。

「それから何日か、あたしが日なたぼっこをしていると、きいろいチョウは、きまってやってきて、あたしの背中にとまったのさ。いろんな話をして、たのしかった。夏になると、カラスアゲハがとまったし、秋に

なると、まっかなアカトンボがきてとまっていった。ほんとに、杉の子のおかげで、あたしゃ、ずいぶんたのしい思いをしたってわけさ。さあ、はやく、うえてやらなくちゃ」

　わしとカメは、杉にしばりつけたロープをひっぱって、根っこをあなの中におとした。テントは、あなの上を飛びまわって、「えい、えい」と、かけ声をかけた。杉が半分おきあがった。すこしずつ、土をあなにもどしながら、杉がまっすぐになるまで、おこしてやった。わしは、杉の根もとを歩いて、土をふみかためてやった。

「やれやれ、よかった、よかった」

カメは、ゆっくりと杉を見まわした。

「よかった、やれやれ」

テントが、杉のてっぺんにとまっていった。

「じゃ、しっかりな」

わしは杉に声をかけた。

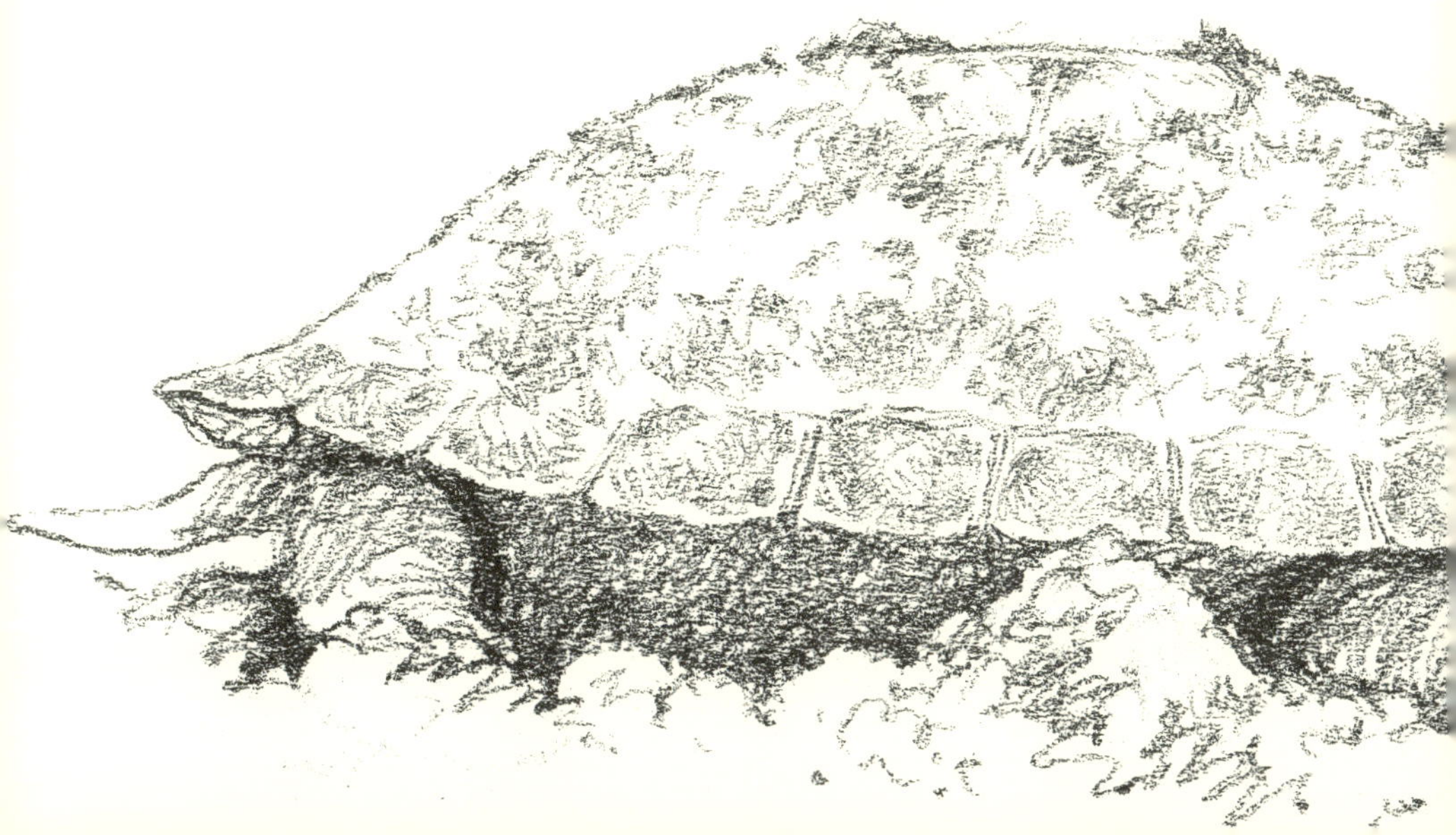

「しっかりな、じゃ」

テントも杉に声をかけて、飛び立った。

わしたちは、またトガリ山めざして出発した。

「ありがとよ、ありがとよ」

カメは、いつまでも首をふって、礼をいっていた。

沢を流れる水の音といっしょに、風がブナの葉をゆらしてとんでいった。すずしい風だった。

「ふーん。杉が実をつけて、その実がトガリ山にのぼって芽をだす。いい考えね」

　キッキが、かんしんしながらいった。

「いくら実がのぼったって、その杉の木がのぼったことにはならないと思うけどな」

　セッセが、うでぐみをして考えていると、

「だけど、実だって杉の一部なんだし、もし芽をだせば杉の木になれるのよ」

　キッキがいった。

「その杉の木は、じぶんがのぼりたかったんだから、実がのぼったって、

その杉の木はつまんないぜ」

セッセが、ちょっと口をとがらせた。クックは、キッキとセッセの顔をかわりばんこに見て、考えている。

「その杉が実をつけるまで大きくなるのに、どのくらい時間がかかるの」

セッセが、トガリィじいさんにきいた。

「ふむ、よくはわからんが、二、三年、ってとこじゃないか」

「二、三年！そんなにまったら、トガリネズミだったらとっくに死んじゃう」

セッセが、あきれたように、うでぐみしていた手をこしにおいた。

「とっくに死んじゃう？」

クックも、こまった顔でいった。

「そうなんだ。わしたちトガリネズミの一生にくらべたら、杉(すぎ)の木の一生はとても長い。わしたちの、千倍(ばい)も二千倍も長生きする杉の木もあるということだ。だがな、わしたちトガリネズミだって、もう、何千万年も前から生きつづけてきたんだ。たしかにわしやおまえたちの一生は、杉にくらべればみじかいが、わしたちトガリネズミのいのちは、子からまごへとうけつがれ、なくなることはないんだ」

トガリィじいさんは、そういって、三びきの顔を見つめた。

「そうか。その杉の木はトガリ山に

のぼらなくても、そのいのちは、トガリ山にのぼったことになる、そうでしょ」

キッキがいった。

「そうだ！おれたちがトガリ山にのぼるときには、その杉の木は、もう実をつけてるかもしれないぜ」

セッセが、鼻をひくひく動かして、キッキとクックを見た。

「よし、てっぺんにうえてあげよう」

クックも、鼻をひくひく動かした。

「そうすれば、きっと、あたしたちのまごがトガリ山のてっぺんにのぼるころには、その実は、りっぱな杉の木になっているってわけ」

キッキも、鼻をひくひく動かした。

5

ひいひいひいひいひいばあさんカタツムリ

ミミズを食べそこなったうえに、カメの背中の杉ぬきなんかやったものだから、わしのおなかはグーグー鳴りだした。

テントは、杉ぬきのとき、「えい！えい！」と大声をだしてつかれたのだろう、リュックのポケットに入ってねむってしまった。

ミミズでもほって食べようかと、キョロキョロしながら歩いていくと、コケのはえた石の上に、小さなカタツムリがいるのを見つけた。

まだうまれたばかりなのか、カラも体も、ピンクいろにすきとおっていた。小さな水玉がころがっているみたいだ。ちょっと小さいが、とてもうまそうだった。わしが近づくと、あかちゃんカタツムリは、あわててカラの中に体をひっこめた。

体をひっこめたってむださ。やわらかいあかちゃんカタツムリはカラごと食べられるからな。わしが、あかちゃんカタツムリをつかもうと思ったときだ。

「まって！その子を食べるのなら、あたしを食べて」

石の下からわきでてくる、ころがるような水の音といっしょに、小さな声がした。

見ると、あかちゃんカタツムリのいるとなりの石の上に、あかちゃんカタツムリより、いくらか大きいカタツムリがいた。オレンジいろにすきとおったカラから、両目（りょうめ）をつきだして、わしを見ていた。

へんなことをいうカタツムリだ。あかちゃんカタツムリのかわりに、じぶんを食べてくれというのだから、きっと、ねえさんカタツムリかなにかだろう。

そりゃ、わしだって、うまれたばかりの小さなカタツムリより、すこしでも大きいほうが、いいにきまっている。トロリとぬれたうまそうなカタツムリだ。

「よし、わかった。おまえを食べてやる」

わしが、ねえさんカタツムリのいる石の上にとびうつったときだ。

「まって！その子を食べるのなら、あたしを食べて」

　また、どこかで声がした。見ると、となりの石の上に、ねえさんカタツムリより、いくらか大きいカタツムリがいた。ちゃいろにすきとおったカラから、両目をつきだして、わしを見ていた。

　へんなことをいうカタツムリが、またあらわれた。ねえさんカタツムリのかわりに、じぶんを食べてくれというのだから、きっと、おおきいねえさんカタツムリかなにかだろう。

　もちろん、すこしでも大きいほうがいいにきまっている。

「よし、わかった。おまえを食べてやる」

　わしが、おおきいねえさんカタツムリのいる石の上に、とびうつったときだ。

「まって！その子を食べるのなら、あたしを食べて」

　また、どこかで声がした。見ると、となりの石の上に、おおきいねえさんカタツムリより、もっと大きいカタツムリがいた。きいろにちゃいろの線が入ったカ

ラから、両目をつきだして、右に左に動(うご)かしながら、わしを見ていた。

へんなことをいうカタツムリが、またまたあらわれた。おおきいねえさんカタツムリのかわりに、じぶんを食べてくれというのだから、きっと、かあさんカタツムリかなにかだろう。

もちろん、すこしでも大きいほうがいいにきまっている。かあさんカタツムリなら、一ぴきで、けっこうおなかがいっぱいになるかもしれない。

「よし、わかった。おまえを食べてやる」

わしが、かあさんカタツムリのいる石の上に、とびうつったときだ。

「おまち！その子を食べるのなら、あたしをお食べ」

またまた、声がした。ふりかえると、またべつのところで声がした。

「いやいや、その子を食べるのなら、あたしをお食べ」

見あげると、またべつの声が、

「まっておくれ。その子を食べるのなら、あたしを食べておくれ」

あっちの石の上からも、こっちの石の上からも、つぎつぎに、ひとまわりずつ大きいカタツムリがあらわれて、わしをとりかこんだ。かあさんカタツムリのかわりに、じぶんを食べてくれというのだから、きっと、ばあさんカタツムリ、ひいばあさんカタツムリ、ひいひいばあさんカタツムリにちがいない。

ひいひいひいひいひいひいばあさんカタツムリときたら、わしの五倍(ばい)もある、大きなカラを背(せ)おっていた。つきだした目玉を、ゆさゆさゆらして、わしを見おろしながら、

「その子を食べるのなら、あたしを食べたらどうだい」

と、しわがれ声でいった。かれ葉(は)いろのカラは、ところどころやぶれて、あながあいていた。いくら大きいほうがいいといったって、こんな大きなカタツムリは見たこともない。

するとと、あっちからも、こっちからも、
「その子を食べるのなら、あたしを食べるんだね」
と、ひいひいひいひいひいひいひいひいひいひいば
あさん、もうかぞえきれないいばあさんカタツムリがあ
らわれた。あまりのそうぞうしさに、テントが目をさ
ましたらしい。

「なにが、なんだ、どうした」
テントはびっくりしてさけんだ。目の前に、
また大きなカタツムリがあらわれた。
「これはだれだ」
テントが頭の上にはいあがってきていった。
「これは、ひいひいひいひい、ひいひいひいひい、
ひいひい……」

わしは、ヒイヒイいいながらかけだした。

しばらく走ってふりかえると、あかちゃんカタツムリから、ひいひいひいひいひいひいひいひいひいひいばあさんカタツムリまで、みんなそろって目玉をゆらして、わしたちを見おくっていた。わしが、くやしまぎれにバイバイというと、カタツムリたちは、マイマイといって、カタ目をツムリおった。

「ひぃひぃひぃひぃ、ひぃひぃひぃひぃばあさんカタツムリ」

セッセが、両手で目玉をつくってゆらしながらいった。

「マーイマイ」

キッキも、カタツムリになって目玉をゆらした。

「ヒイヒイヒイ」

クックが肩をすぼめて、トガリィじいさんのうしろにかくれた。

「だけど、どうしてみんな、ばあさんカタツムリなの？」

セッセが、きゅうにま顔になっていった。

「かあさんがばあさんになるから？」

クックがいうと、

「ちがう、ちがう。あかちゃんをうんだのはかあさんで、かあさんをうんだのはばあさんだからよね」

とキッキがいって、トガリィじいさんを見た。

「あかちゃんをうんだのはとうさんじゃないし、とうさんをうんだのはじいさんじゃないってことだ」

セッセがうなずいた。

すると、クックがみんなのまわりをぐるぐるまわりはじめた。

「あかちゃんをうんだのはかあさんで、かあさんをうんだのはばあさんで、ばあさんをうんだのはひいばあさんで、ひいばあさんうんだのはひいひいばあさんで…………」

6 下からシマヘビ　上からもシマヘビ

カタツムリを食べそこなって、わしはもうはらぺこだった。

山道は沢にそってのぼっていた。どこからおりてくるんだろうか、ところどころで、水たちがほそい流れをつくって、山道をよこぎり、沢にかけおりていく。森はしっとりとしめっていて、いいにおいがする。ミミズがたくさんいる、ゆたかな森のにおいだ。

「テント、ぼくはらぺこなんだ。ここらでミミズでもさがすよ。テントは?」

「それじゃ、ぼくも、アブラムシさがしてくる。えい!」

テントは、わしのてっぺんから飛び立っていった。

わしは、山道のわきのしげみの下に入って、おち葉をひっくりかえした。元気のいいミミズがいくらでもいた。この森の中にいるかぎり、リュックサックの中のほしミミズは、食べなくてもすみそうだ。

ミミズを三びきたいらげ、おなかがいっぱいになる

と、わしは、またねむくなった。わしたちトガリネズミというものは、どうして、こんなにすぐねむくなるのだろう。食べたあと、うとうとねむるのは気もちのいいものだが、山のぼりのとちゅうで、きゅうにねむくなるのはこまったものだ。

わしは、安全なねばしょをさがした。かれておちたナラの木のえだの下に、わずかなすきまがあった。わしは、そこにかわいたおち葉をしいて、もぐりこんだ。テントがもどってきたときにすぐにわかるように、えだの上にリュックをおいておいた。わしはしばらくトロリとねむった。

キロ、キロ、キロという、カエルの声で目をさました。わしはまだねむい目でそとを見た。フキの根もとに、アカガエルが一ぴきいて、わしの方を見て鳴いていた。

「キロ、キロ、キロ、キロ」

うるさいカエルだ。わしは目をこすりながら、ナラ

のえだの下からそとにでた。すると、アカガエルは声をかえて、

「ゲロ、ゲロ、ゲロ、ゲロ」

と鳴くと、あわててどこかへはねていった。

へんなカエルだぐらいに思って、なにげなくうしろをふりかえると、おどろいた。太いシマヘビが一ぴき、わしの目の前で、カマ首をもちあげていた。火のような赤いシタをペロペロともやして、わしをにらんでいる。

ヘビにであったら、けして目を見てはいけない。ヘビの目は、ふしぎな魔力をもっている。あの目は、こっちをただ見ているだけではない。目と目があったとき、あの目は、わしたちの体のおくのたましいにすいつくんだ。すると、わしたちの体は、つめたくこおりついて、もう一歩も動けなくなってしまう。

わしは、すぐにヘビから目をそらして、夢中でかけだした。フキの根もとをかけぬけ、ササのあいだ

をぬって山道にでた。シマヘビが、おち葉(ば)を鳴らして走る音がきこえた。太いブナの木の根っこをはいあがり、せまい石と石のあいだをすりぬけた。小さな流(なが)れが、山道をよこぎっていた。わしは、石から石へとびうつって、流れをわたった。

走りながらふりむくと、シマヘビは、体をくねらせ、流れの中をおよいでくる。わしは走った。

くねった杉(すぎ)の木の根(ね)っこをとびこえたときだ。

「トガリィ、あぶない！」

テントの声がきこえた。

見ると、わしの行く手に、もう一ぴきのシマヘビがあらわれた。

わしは、あわててとまろうとしたが、前につんのめってころがった。

もう一ぴきのシマヘビは、わしを見つけると、ヒューッとカマ首をもちあげ、目をかがやかせて、坂をかけおりてきた。下からもシマヘビ、上からもシマヘビ。わしはよつんばいになったまま、みがまえた。

下からのシマヘビが、杉の木の根っこをのりこえ、上からのシマヘビが、すべるように山道をかけおり、いざ、わしにおそいかかろうとしたとき、

「トガリィ、こっち!」

頭の上でテントの声がした。わしは、ありったけの力でジャンプした。元気なミミズを三びき食べ、トロトロとねむったばかりだ。わしの元気はありあまっていた。すくなくとも一メートルはとびあがっただろう。わしは、道ばたのカエデの木にからみついていた山ブ

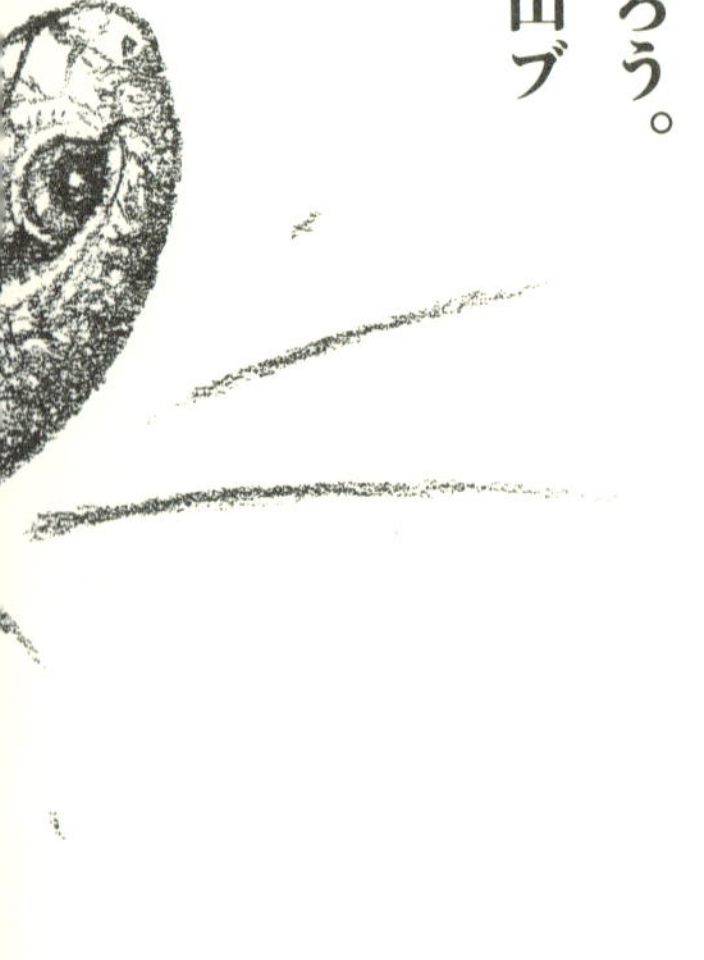

ドウのツルにとびついた。

　下からのシマヘビと、上からのシマヘビは、きゅうにえものを見うしない、いきおいあまってしょうとつした。二ひきのシマヘビはスピードをだしすぎていた。パシッという、カマ首とカマ首がぶつかる音が、わしにもはっきりときこえた。

　テントが飛(と)んできて、わしのまわりをくるくるとまわった。

　わしは、山ブドウのツルをつたってカエデのえだにのぼった。テントがわしの肩(かた)にとまった。

「あぶなかった、トガリィ」

「ありがとう、テント」
わしとテントは顔を見あわせ、下を見た。二ひきのシマヘビは、ぶつかったアゴをいたそうにおさえて、しかめっつらでにらみあっている。

二ひきとも、アゴのいたみと、えものをうしなったくやしさで、そうとうおこっているようすだ。目が赤くふるえている。下からのシマヘビが、口をカッとひらくと、上からのシマヘビも、まけずに口を大きくひらいた。二ひきとも、おなかがへっていたのかもしれない。

とうとう、二ひきは、とっくみあいになった。太いヘビどうしのたたかい、ヘビーきゅうのたたかいだ。

二ひきの体は一本のなわのようにもつれあって、はげしくなみうった。なわになったシマヘビは、なわのまま杉(すぎ)の根(ね)っこをよじのぼり、なわのまますべりおちた。大きくあけた口で、おたがいにのみこもうとするが、あけた口の大きさは同じ、あいてをのみこむことができない。火のような長いシタは、シタどうしでたたかいをはじめた。うしろでは、シッポはシッポどうしでたたかいをはじめた。口は口で、シタはシタで、シッポはシッポで、どっちもまけていない。長いたた

かいがつづいた。長いたたかいが長くなればなるほど、二ひきは、気もちも体も、もつれていく。口はもつれ、シタはもつれ、シッポはもつれ、とうとう二ひきは、こんがらがった毛糸玉のようになって、坂をころがりおちていった。太いブナの根っこのところで、大きくはずんだのが見えたのがさいごで、二ひきとも、二度ともどってこなかった。

　わしとテントは、ほっとして、山道におりた。歩きながら、さっきのアカガエルのことを思いだしていた。

「アカガエルがキロキロと鳴かなければ、ぼくは、ねむったままシマヘビにのまれていたかもしれない」

　わしがいうと、

「アカガエル、きっと、オキロオキロって鳴いたんだ」

　テントがいった。わしは、ハッと気がついた。

　たしかにあのとき、アカガエルは、ただキロキロと鳴いていたんじゃないかもしれない。おきろ、おきろとわしをおこしてくれたんだ。アカガエルはしんけんな顔でわしを見ていたからな。

「そのあと、ゲロゲロって鳴いたけど、あれは、ニゲロニゲロって鳴いたのかな」

わしがいうと、

「アカガエル、ニゲロニゲロって鳴いたんだ」

テントがいった。そうだ。そうにちがいない。しんせつなアカガエルさんだったんだ。あのままねむっていたら、目をさましたときには、下からのシマヘビのおなかの中だったろう。

わしたちはリュックのところにもどった。

わしとテントは、いのちのおんじんのアカガエルさんが、まだ近くにいないだろうかと、まわりを見まわしたが、すがたがなかった。耳をすましてみたが、キロキロとも、ゲロゲロともきこえない。沢を流れる水の音が、クマザサの葉をふるわせて、風といっしょにのぼってきた。ブナのえだをゆらして、風がとおりすぎていくと、どこかで、キツツキが、コツコツと木をたたいた。

「ほんとに、ヘビって、ヘビをのむと思う？」

キッキがセッセを見た。

「のむんじゃない。うんとおなかがすいたときとか、おこったときとか」

セッセがいった。

「でも、このシマヘビみたいに、口をあけてじぶんをのもうとしているあいてをのむのって、むずかしそう」

キッキが、両手を二ひきのヘビみたいにしていった。

「口が大きいほうが、かちだ」

クックも、両手をヘビみたいにしていった。

「シッポからのほうが、のみやすいよな」

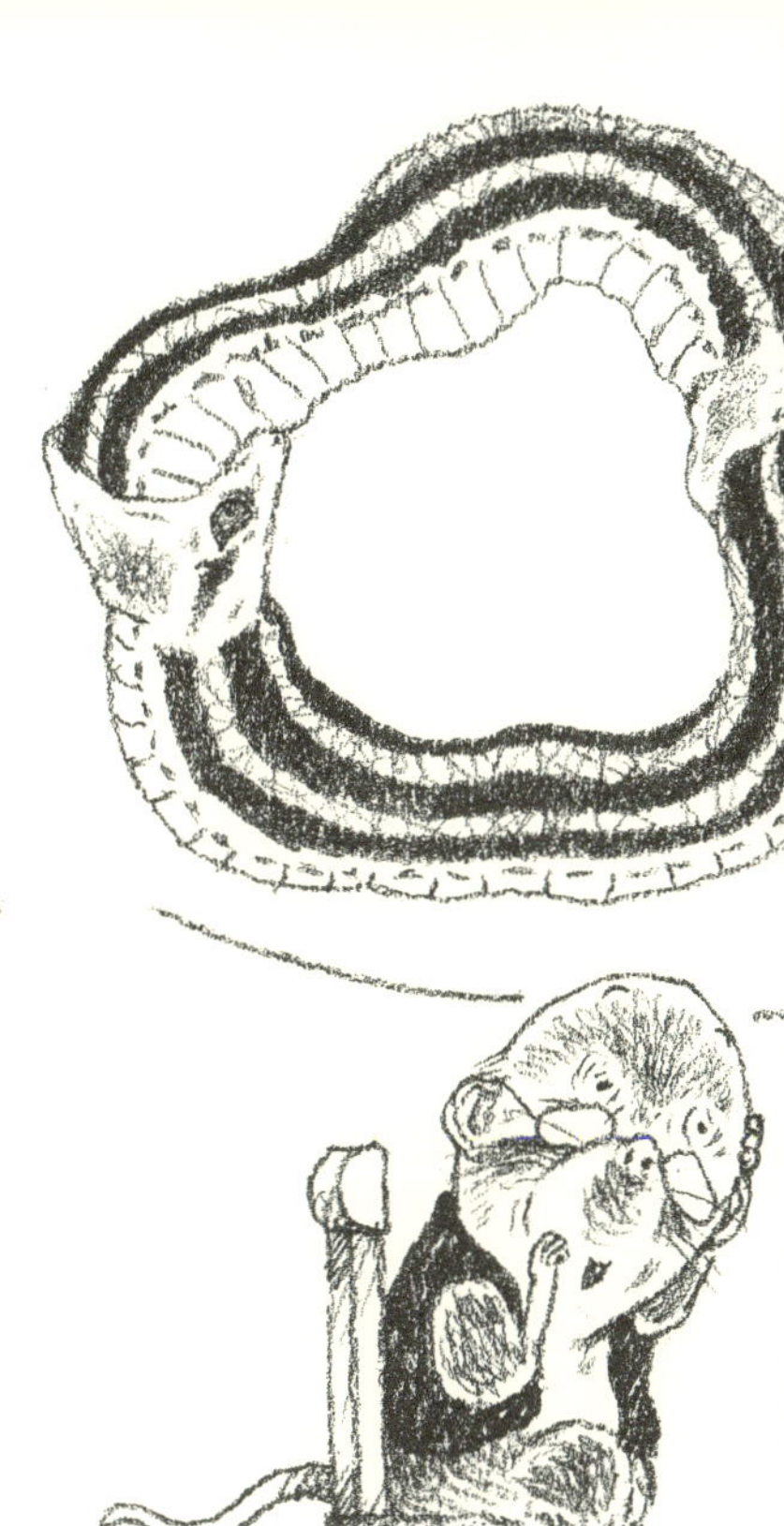

セッセがいうと、

「でも、のまれたほうも、じぶんをのんでるヘビのシッポをのんだら、どうなる」

キッキの右手が左のひじに、左手が右の肩にかみついた。

「二ひきとも、どんどんあいてをのみこんでいくと、顔だけふたつのこるんだ」

セッセがいうと、

「とうとう、じぶんのこともものんでしまうってことになる」

キッキが、むねの前で、両手をにぎりしめた。

「二ひきとも、きえちゃう」

クックがつぶやいた。

7 あいつの背中（せなか）

わしとテントは、沢にそった、ブナの森の中の小道をのぼっていった。太いブナの木が、えだをいっぱいに広げて、森のてんじょうをつくっていた。葉と葉のあいだから、ところどころ青空がのぞいていたが、トガリ山のすがたは見えなかった。

この山道を行けば、たしかにトガリ山のてっぺんへのぼれるのだろうか。トガリ山が見えていないと、だんだんしんぱいになってくる。

「テント、木の上まで飛んでいって、トガリ山がどっちの方向か、見てきてくれないか」

わしは、頭の上のテントにたのんだ。

「いいよ」

「鳥に食べられないように、気をつけて」

わしは、てっぺんをつくってやった。

「えい！」

テントは、わしのてっぺんから飛び立つと、小さな黒い点になって、ブナの葉かげにきえた。

わしは、ブナの木の根もとで、テントのかえりをまっていた。風が、森の高いところを吹きぬけていった。たいくつして風をまっていたブナの木が、ササササと気もちよさそうに葉を鳴らした。この風も、トガリ山でうまれた風だろうか。トガリ山でうまれた風は、いつもトガリ山の方から吹いてくるのだろうか。わしは、ぼんやり、そんなことを考えていた。

こんどは、森のすこしひくいところを、風が吹きぬけていった。いねむりしていたトチの木が、ちょっとおどろいて、サワサワと葉を鳴らした。葉のかげから、みどりいろの実が顔をのぞかせた。

テントは、なかなかかえってこなかった。ブナの木の上まで行って、ちょっとトガリ山を見てくるだけでいいのに、いったいなにをしているんだろう。

テントがおりてこないかと、見あげていると、森のずっとひくいところを風が走りぬけていった。だまってすわっていたクマザサやフキが、ザワザワとさわぎ

たてた。うらがえしになったクマザサの葉に、きいろい毛虫がつかまっているのが見えた。

　クマザサやフキがしずかになったとき、どこからか、すずしい音がきこえてきた。カロン、カロリン。カロン、カロリン。かすかな音。わしは耳をすました。

　あいつの音だ。そう、ネコという名のあいつがだす、すずの音。どこからきこえてくるんだ。あいつはどこにいるんだ。

　カロン、カロリン。カロン、カロリン。あいつの音は、ゆっくり山道をのぼってくるようだ。

　しかし、わしたちは、いつあいつをおいぬいたのだろう。杉の木を背おったカメは、あいつはトガリ山めざしてのぼっていったといっていた。きっと、あいつは、どこかで寄り道していたにちがいない。

　テントのやつ、どうしたんだろう。あいつがくる前に、おりてくればいいのに。わしは、森のてんじょうを見まわしたが、テントのすがたは見えない。

さっきは、テントとふたりでおどかしたから、びっくりしてにげていったが、あいつは、いったい、どんなやつなんだろう。ネコという名はわかったが、なにを食べるのか、なにに食べられるのか、走るのははやいのか、木にのぼれるのか、にがてなものはなにか、やさしいやつなのか、らんぼうものか、まだ、あいつがどんな生きものかよくわかっていない。もし、あいつが、ほんとうにトガリ山のてっぺんへのぼる気なら、これから先も、いつであうかもしれない。わしは、あいつがどんなやつか、よく見てみようと思った。わしは、道ばたのおち葉の下にもぐりこんだ。

カロン、カロリン。カロン、カロリン。あいつの音はだんだん大きくなってきた。また、風がひくいところを走ってきて、クマザサやフキが、ザワザワとさわいだ。わしがもぐりこんだおち葉が、とばされそうになって、わしはあわてて葉のふちをつかんだ。

カロン、カロン、カロリン。カロン、カロン、カロリン。あいつが、とまった。わしに気がついたのだろうか。わしは、おち葉のすきまから、そっとのぞいた。わしの目の前に、あいつのシッポがあった。

なんと大きなシッポだ。わしのシッポの何十倍、わしの体より太く、トガリネズミ十ぴきぶんの長さはあるだろう。

あいつは、こっちに背中をむけてすわっていた。黒いしまもようの、長いふさふさとしたあいつのシッポは、地面をはらうように、ゆっくりと動いていた。動くたびに、シッポの先が、わしのかくれているおち葉にさわりそうになった。あいつは、わしがここにいることには、気がついていないようだった。

あいつは、ブナの根もとにすわりこんで、なにか考えごとをしているらしい。こまったことになった。テントがかえってきたらどうしよう。テントが、あいつに食べられてしまうことはないだろうが、わしがここ

にいることを、しらせてやることができないかもしれない。ネコだかなんだかしらないが、めんどうなやつがあらわれたものだ。

あいつは、いったい、なにを考えているんだ。わしは、おち葉のすきまから、あいつの背中を見あげた。あいつの背中は、岩のように大きかった。黒いしまもようの毛は、すべすべとしていた。だが、そのまるまった背中は、どこか元気がなさそうに見えた。カメがいっていたけれど、ネズミもバッタもつかまえられず、おなかをすかしているというのは、どうもほんとうのようだ。

あいつが、よこをむいた。すずが、カロンと鳴った。あいつのよこがおが見えた。

カロカロ、カロリン、カロカロカロカロ、カロリン。すずがはげしく鳴った。あいつは、首のあたりをじぶんの手でたたいている。よく見ると、どうやらあいつは、すずをたたいているようだ。

こんどは、はんたいがわをむいたと思うと、あいつは、足ですずをたたいた。カロカロカロ、カロカロカロ、カロカロ、カロリン。すずが、さっきよりもはげしく鳴った。いったい、なんのつもりなんだろう。首がかゆいんだろうか。こんな大きな音をたてれば、ネズミだって、モグラだって、鳥だって、みんなにげてしまう。おなかがすいて、ネズミやモグラや鳥をつかまえたかったら、しずかにしていなければならない。

そのとき、

「トガリィ」

すぐそばで、テントの声がした。見ると、テントが、おち葉の下にもぐりこんできたところだった。

「ああ、テント、よくここがわかったね」

わしが声をひそめていうと、

「トガリィのシッポが、おち葉の下からのぞいていた」

テントも、声をひそめていって、わらった。

あいつの音がやんだ。あいつは、また、なにか考え

ている。そのうち、あいつは、体をブナの根もとにもたれかかるようにして、ねそべってしまった。

「そっと、ここをでよう」

わしは、テントにささやいた。

「ここをでよう、そっと」

テントもささやいて、わしの頭にのぼってきた。わしは音をたてないように気をつけて、おち葉の下からでると、しのび足で、あいつがいるブナの根もとからはなれた。

しばらく山道をのぼってふりかえると、あいつが、またすわりなおして、考えこんでいるのが見えた。わしたちには、まったく気がついていないようすだった。かまわず歩きだすと、カロカロカロカロ、カロリン、カロカロカロ、カロリン。あいつの音が、またきこえてきた。

「あいつ、まだやっている。いったい、なんのつもりなんだろう」

歩きながら、わしがいうと、

「なんのつもり、いったい」

テントがいった。テントも、ブナのえだの上で、あいつが、首にぶらさげたすずを、しきりにたたいていたのを見ていたらしい。

「ところで、トガリ山は見えたかい」

わしは、頭の上のテントにきいた。

「それが、見えない。雲がでて、トガリ山も、太陽も、見えない。ずっと、まってたけど、見えない」

テントが、すまなそうにいった。

「きっと、この道でだいじょうぶだよ。このまま、のぼっていこう」

わしがいうと、

「うん、のぼっていこう、このまま」

テントは、すこし元気をだしていった。

「あいつって、ほんとに、なにものなんだ」

セッセがいった。

「ネコっていう名前はわかったけど、ネコってなにもの？あいつってなにもの？」

キッキが首をかしげた。

「大きなシッポ」

と、クックがいうと、

「黒いしまもよう」

とセッセ、

「長いふさふさとしたシッポ」

とキッキ。

「大きな背中(せなか)」

と、クックがいうと、

「すべすべとした、黒いしまもよう」

とセッセ。

「元気がない、まるい背中」

と、キッキが両手(りょうて)であごをささえて、

「ネズミもバッタもつかまえられず、おなかをすかしているなんて、かわいそう」

といった。

「だけど、なんですずを鳴らすんだ」

セッセがうでをくんだ。

「あそんでるんだ」

クックがいうと、

「はらがへったら、あそべないぜ」

セッセがいった。

「いったい、なんのつもり？」

キッキが考えた。

8

カエレカエレというカエル

みどりいろの体に、赤いぼうしをかぶったアオゲラが、ブナの木の高いえだにとまって、虫をつついていた。

「やあ」

わしは、大きな声でよびかけた。アオゲラはだまったままわしたちを見おろした。

「そこから、トガリ山が見えるかい」

わしが大声できくと、

「さっきまで見えていたけど、いまは見えない。トガリ山は、すっぽり雲の中だよ」

アオゲラがいった。

「この山道は、トガリ山までつづいているかい」

わしがきくと、

「どの山道だって、のぼっていけばトガリ山さ。この森は、トガリ山の森なんだから」

アオゲラは、そういうと、ブナのみきにとびつき、二本足ではねるようにのぼっていった。

「やっぱりこの道でいいらしい」

　わしとテントは、ほっとして、歩きだした。

沢にそって、山道をどんどんのぼっていくと、きゅうな坂道になった。岩のかべが沢の両がわにせまってきた。道は、ところどころで、沢にころがった大きな岩の上を歩くようになっていた。

　岩のかべにそって左にまがると、ふいに、滝にでた。こまかい雨のような水しぶきが、ふきかかってきた。

滝つぼの近くまで行って、上を見ると、しげった木のえだにかこまれて、そこだけぽっかり空のあながあいていた。水たちは、まるでその空からおちてくるように見える。

　空からふきだした水は、がけのとちゅうで岩にぶつかり、いさましくくだけちって、滝つぼふかくもぐると、やがてうかびあがって、ホォーとため息をついてしずかになる。それから岩かげによって、なにごともなかったように、長い旅のつかれをいやしている。

滝つぼのふちの岩にすわって、水たちのようすをながめていると、滝の音にまじって、だれかの声がした。声は、ケレ、ケレ、ケレときこえる。さっきのアカガエルだろうか。しかし、あれからわしは、ずいぶん山道をのぼってきた。きっと、べつのカエルだろう。

「あそこにいる」

頭の上でテントがいった。

見ると、滝つぼのすみに、岩が水面から頭をすこしだけだしていた。その岩の上に、カエルが三びきすわって、わしを見ていた。岩のいろと同じの黒いカエルだ。カエルも岩も、霧のようなしぶきにぬれて、ツヤツヤと光っていた。

「ケレ、ケレ、ケレ」

また声がした。ドドドド、ドドドドと、岩をゆるがすような滝の音にまじってきこえるから、どこからきこえてくるのかはっきりしない。でも、声とどうじに、三びきのカエルの鳴きぶくろがふくらんだところをみ

ると、岩の上のカエルたちが鳴いたのにちがいない。

「ケレ、ケレ、ケレ」

また、三びきのカエルたちの鳴きぶくろがふくらんだ。カエルたちは、わしたちをじっと見ている。まてよ、カエルたちは、わしたちになにかいっているのかもしれないぞ、とわしは思った。

「オキロ、オキロ」じゃないし、「ニゲロ、ニゲロ」でもない。

「カエルたち、なんていってるんだろう」

わしがいうと、

「なんていってるんだろう、カエルたち」

テントもいった。

「なにかを、クレクレかな。それとも、石ころでもケレケレかな……」

わしが考えると、

「クレクレかな……、ケレケレかな……」

テントも考えた。

「いや、そうじゃないぞ。もしかしたら、カエレカエレ、といっているのかもしれない」

じぶんたちの住む滝つぼに、見たこともないトガリネズミとテントウムシがいることが、気にいらないのだろう。アナグマだって、モグラだって、わしが巣に近づけば、ふきげんな顔をするからな。

「ケレ、ケレ、ケレ」

カエルがまたいった。そう思ってきけば、たしかに、かえれ、かえれ、ときこえる。

「やっぱりカエレ、カエレといっているぞ」

わしがいうと、

「カエレ、カエレかな、クレクレかな、ケレケレかな」

テントは、まだ考えている。

わしはこれからトガリ山にのぼるんだ。ここでかえるわけにはいかない。わしは、カエルたちの顔を見て、首をよこにふった。するとカエルたちは、

「カエレ、カエレ、カエレ」

といった。こんどは、はっきり、わしには、かえれときこえた。わしは、カエルをにらみつけて、

「カエラナイ、カエルがカエレ」

といってやった。ところが、カエルたちときたら、赤い口をあけて、ケ、ケ、ケ、とわらったのさ。ひとをばかにするカエルたちめ。わしが、こぶしをふりあげておこると、三びきのカエルは、ポチャン、ポチャン、ポチャンと、水にとびこんだ。

それからすぐにうかびあがると、三びきならんで水面（すいめん）に顔をだした。口のまわりに、ぷくぷく小さなあぶくがでているところをみると、水の中でもわらっているらしい。

水の中のカエルたちとけんかをしても、かてるわけがない。わしはカエルにかまわず、滝（たき）つぼのわきから、がけをのぼった。

とちゅうまでのぼって、滝をよこから見ると、しぶきの中に、みじかいにじがうかんでいた。いまいまし

いカエルの声など、水の音にのみこまれてもうきこえない。
岩のトンネルをくぐって、滝の上にでた。見おろすと、滝つぼは、ふかいあなのそこのように見える。水は、はげしい音をたてて、地のそこふかく、おちこんでいく。

滝の上は、これまでよりもっと大きな岩がころがり、沢がつづいている。水たちは、これから、滝の下へくだけおちるのをしらないのか、あわてるようすもなく、ゆったりと流れていく。

ときどき、岩から岩へとびうつりながら、山道をのぼっていくと、また、あの声がした。

「カエレ、カエレ、カエレ」

山道のわきの岩のあいだに、ヤマアジサイが根をおろしていた。葉の上に、カエルが三びきすわって、こっちを見ている。葉のいろと同じみどりいろのカエルだ。カエルも葉も、霧のようなしぶきにぬれて、ツヤツヤと光っている。

いろはちがうが、
滝（たき）つぼにいたカエル
とよくにている。きっと、同じなかまかもしれない。
みんなでわしたちをからかうつもりなのかと思った。

「カエレ、カエレ、カエレ」

またカエルたちが鳴いた。

「やっぱり、カエレ、カエレといっているだろ」

わしがおこっていうと、

「カエレ、カエレかな、クレクレかな、ケレケレかな」

テントはまだ考えている。

「カエレ」

声は、流れる水の音にまじってきこえてくるから、どこからきこえてくるのかはっきりしない。でも、声とどうじに、まん中のカエルの鳴きぶくろがふくらんだところをみると、そのカエルがいったのにちがいない。

するとこんどは、両がわの二ひきのカエルの鳴きぶくろがどうじにふくらんで、

「カエレ、カエレ」

といった。うるさいカエルたちだ。わしたちが、トガリ山にのぼろうが、うちにかえろうが、わしたちのかってだ。カエルに命令なんかされて、たまるものか。

「かえるもんか。カエルがかえれ」

わしが、むきになってどなると、カエルたちは、ケ、ケ、ケ、ケ、ケと、赤い口をあけてわらった。まったくぶれいなやつらだ。

「なにがおかしい！」

わしがこぶしをふりあげると、三びきのカエルは、ピョン、ピョン、ピョンと、ヤマアジサイのうしろの岩の上にとびおりた。岩の上で、また三びきならんで、こっちを見ている。声はださなかったが、こころの中でヘラヘラわらっているのが、目と口を見ればすぐにわかった。まったく、いまいましいカエルたちめ。するとどうだ。さっきまでみどりいろだっ

たカエルが、いつのまにか、岩のいろと同じの黒いカエルになっていた。カエルも岩も、霧(きり)のようなしぶきにぬれて、ツヤツヤと光っている。

これは、いったいどういうことだ。

「あいつら、さっきのカエルじゃないか」

わしはカエルたちをにらみつけた。

滝(たき)つぼのカエルとはべつの、みどりいろのカエルだと思っていたが、じつは、同じカエルが先まわりして、ヤマアジサイの葉(は)の上で、わしたちをまっていた。きっと、そうにちがいない。こんないじわるなカエルが、三びきそろって、あっちこっちにいるわけがない。わしは、そう思った。

「さっきのカエルかな……」

テントはまた考えている。

「きっと、カエルは、体のいろをカエルのさ。黒い岩の上では黒いカエル。みどりいろの葉(は)の上ではみどりいろのカエル。ちゃいろの木の上ではちゃいろのカエ

ル。はいいろの砂の上でははいいろのカエル。ピンクの花の上ではピンクのカエルになる」

「ピンクのカエル………」

テントがつぶやいたとき、

「カエレ、カエレ、カエレ」

岩の上で、三びきのカエルがまたいった。そんなカエルの、あいてになっているひまはない。わしは、さっさと歩きだした。

さっきまでの青空は、どこへ行ってしまったのだろう。いつのまにか、黒い雲が空をおおいはじめていた。遠くで、雷の音がきこえた。

岩から岩へとびうつって、山道をいそぎ足でのぼっていくと、また声がした。こんどは頭の上からきこえる。

「カエレ、カエレ、カエレ」

見あげると、ナラの木の葉に、みどりいろのカエルがはりついていて、こっちを見ている。すると、こん

どは、わしのすぐうしろで声がした。

「カエレ、カエレ、カエレ」

ふりむくと、杉(すぎ)の木のえだに、ちゃいろのカエルがいて、わしを見ている。それだけではない。

「カエレ、カエレ、カエレ」

むこうの白い岩の上で、白いカエルがさけんだかと思うと、

「カエレ、カエレ、カエレ」

こっちの青い岩の上で、青いカエルがさけんだ。

「カエレ、カエレ、カエレ」

「カエレ、カエレ、カエレ」

「カエレ、カエレ、カエレ」

あっちでも、こっちでも、赤いカエルや、きいろいカエルや、むらさきいろのカエルが、いっせいにさわぎはじめた。

森はきゅうにくらくなり、いなずまがかけぬけた。わしは、両手で耳をおさえてかけだした。テントは、あわててリュックのポケットにもぐりこんだ。

夢中で走っていくと、こんどは、だれかにピシッと頭をたたかれた。目の前に水しぶきがとびちった。岩の上にも、フキの葉の上にも、はげしく水しぶきがとびちった。それは大つぶの雨だった。
わしは山道をはずれて、しげみの中ににげこんだ。

9

雷(かみなり)がヒョウをつれてきた

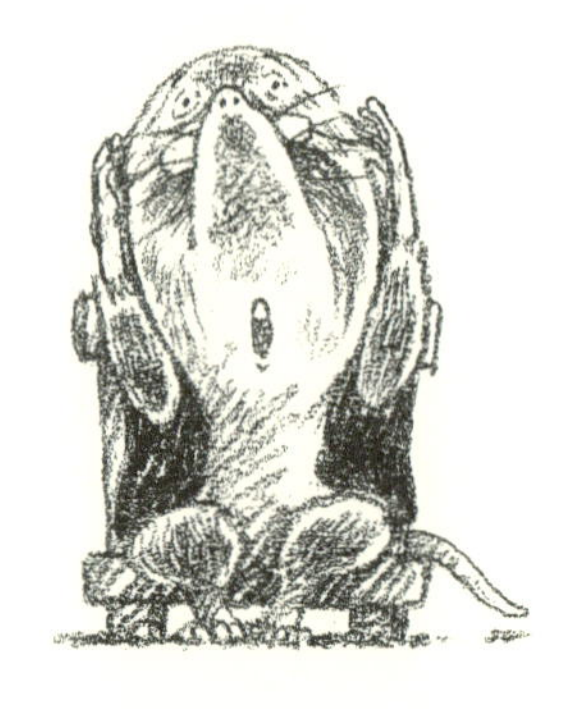

カチッと、しびれるような音がして、いなずまが走り、まっくらになった森の中に、とつぜんまがりくねった白い木のみきがうかびあがった。ダダダダダ、雷が頭の上をかけぬけ、ダダーン、はげしい音が地面をゆるがせた。森がまっ二つにわれたかと思った。

森はゴォーゴォーとうなりだした。滝のような雨が、森のてんじょうをつきぬけ、木のえだや葉や草の上でしぶきをあげた。わしは、大きなフキの葉の下ににげこみ、茎にしがみついた。

葉の上を水が流れ、フキはあわただしく首をふった。そのとき、ずぶぬれになったヒキガエルが、雨にうたれてふるえるシダの葉かげから顔をだした。

「雷が、ヒョウをつれてくる。にげろ、にげろ、にげろ」

ヒキガエルは、わしにむかってそれだけいうと、おもそうな体をひきずって、大いそぎでにげていった。

雷が、ヒョウをつれてくる。それはたいへんだ。フ

キの葉かげにいたぐらいではあぶない。どこかに、安全なかくればしょを見つけなくては。わしは水しぶきの中をかけだした。わしの体は、あっというまにずぶぬれになった。

「テント、だいじょうぶか」

わしが走りながらさけぶと、

「だいじょうぶか、トガリィ」

テントが、リュックのポケットの中でさけんだ。

カチッ、またいなずまが走り、ササの根もとが白くうかびあがった。ササのしげみのむこうに、太いブナの根っこが見えた。

ダダダダ、ダダーン。また、雷が頭の上をかけぬけ、地面をゆるがせた。パチッ、パチッ、あちこちにするどい音がひびきはじめた。つめたい風がドォーッと吹きこみ、ササやフキやシダの葉が、大きくしなった。ヒョウだ。とうとう、ヒョウが雷といっしょにやってきたのだ。たいへんだ。ヒョウにつかまったら、わし

たちトガリネズミなど、たったの一げきでおしまいだ。

パチッ、すぐそばでするどい音がして、ヒョウがわしの顔をかすめた。ヒョウはわしの目の前で、水しぶきをあげてはずみ、おち葉の上をいきおいよくころがった。わしの頭ほどの大きなやつだった。

パチッ、またすぐそばで音がして、こんどはシッポをたたかれた。ふりかえるまもなく、わしの頭より大きなやつが、わしの目の前をよこぎりころがっていった。わしは、あぶなくぶつかるところだった。ヒョウは、青くつめたくすきとおっていた。

わしは、そばにおちていたトチの葉をひろうと、頭からかぶって走った。パチッ、パチッ、いくつかのヒョウが、かぶったトチの葉をかすった。つぎつぎにころがってくるヒョウのあいだを走りぬけ、わしは、ブナの根もとのあなにとびこんだ。わしといっしょに、いきおいよくはずんだヒョウのやつが、あなの中までとびこんできた。

ほっとして、そとを見あげると、ブチブチと、フキの葉をつきやぶっておちてくるヒョウが見えた。地面の上は、ヒョウたちでいっぱいになっていた。いなずまが走るごとに、まるいヒョウたちが、白くぶきみに光ってうかびあがった。

「もう、だいじょうぶだよ」

わしは背中のリュックをおろして、ポケットの中のテントにいった。テントは、おそるおそるポケットから顔をだした。

「だいじょうぶ、もう」

そういって、テントがリュックの上にのぼったとき、また、雷がはげしく鳴った。

ダダダダ、ダダーン。

テントは、あわてて、またリュックのポケットににげこんだ。

雷は、しばらくブナの森の上をあばれまわったが、やがて、どこか遠くへ行ってしまった。森は、すこし

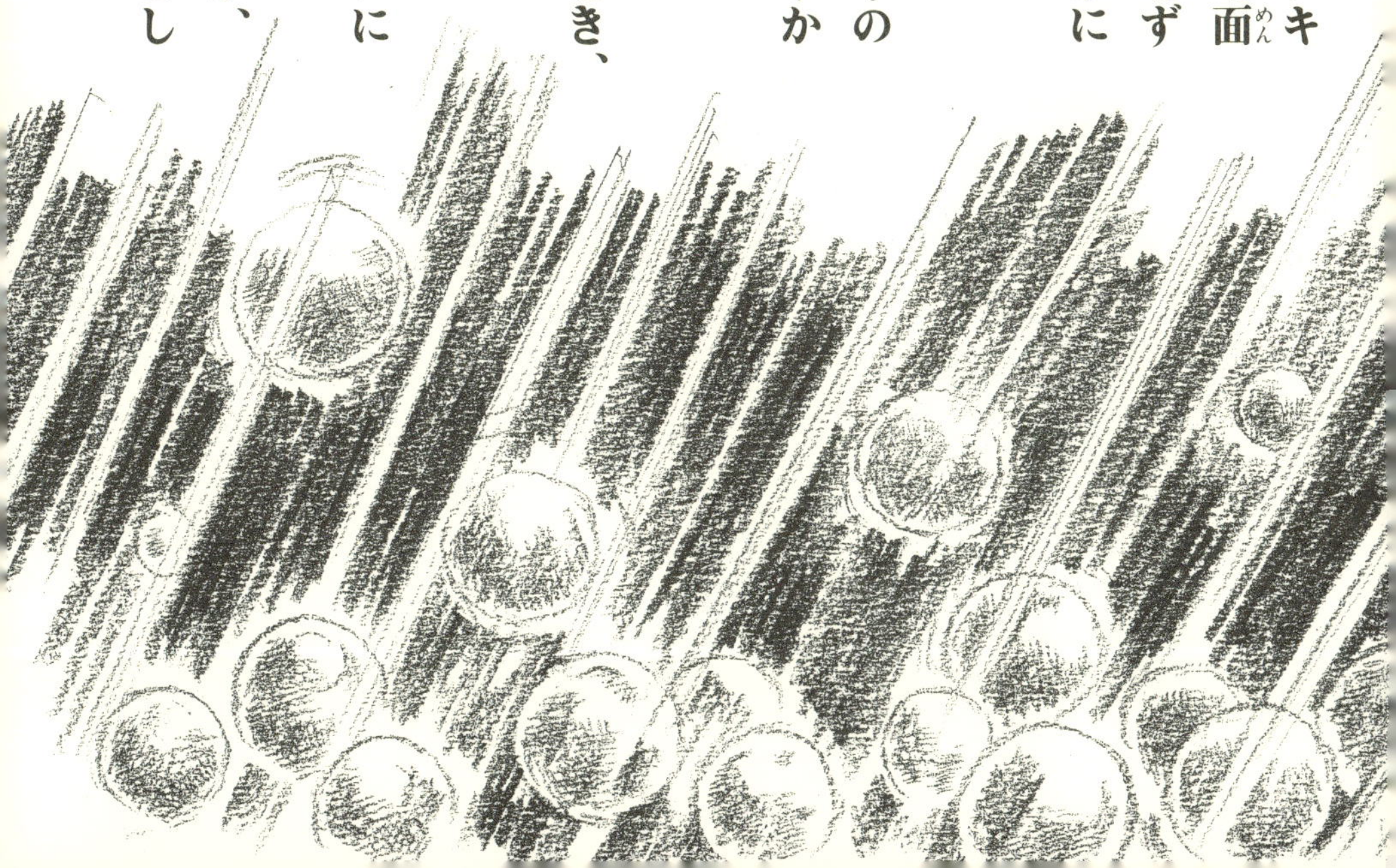

ずつ、ひるまの明るさをとりもどしていった。

気がつくと、さっきまで地面いっぱいにころがっていたヒョウたちは、いつのまにかすがたをけしていた。雷といっしょに、どこかへ行ってしまったらしい。

ブナやカエデやトチの葉に、たっぷりたくわえられた雨水が、大きなしずくになって、あっちでもこっちでも、タップ、チップ、トップと音をたてていた。ブナの木も、カエデの木も、トチの木も、ほっとして、じっとしずくたちの音楽に耳をかたむけていた。

わしが、森のようすをながめていると、テントが、そっと肩にのぼってきてささやいた。

「だれか、あなのおくにいる」

まっくらだったあなの中も、うっすらと明るくなっていた。見ると、大きなヒキガエルが、じっと目をとじたままうずくまっていた。さっき、にげろといってくれたヒキガエルのようだ。

「さっきは、どうもありがとう」

わしがお礼をいうと、ヒキガエルは、半分だけ目をあけてわしを見て、

「ふむ」

といっただけで、また目をとじてしまった。

あなの中は、かわいたおち葉がしきつめられていて気もちよかった。ほっとしたら、なんだかねむくなってきた。わしはおち葉のあいだにもぐりこんだ。テントも、いっしょにもぐりこんできた。テントは、ヒキガエルのことが気になるらしい。

わしは、しずくの音をききながら、目をつぶった。頭の中に、ぼんやりと、いろいろな考えがうかんだ。

——トガリ山がおこっている日にうまれた雲は、雷をはこぶ。オスのジョロウグモがいっていた。トガリ山は、どうしておこったのだろう。

——雷がヒョウをつれてくる。ヒキガエルがおしえてくれた。雷は、ヒョウをつれてどこまで行ったのだろう。

――アマガエルたちは、なんで、わしたちにカエレといったのだろう。どうもへんだ。なにかほかのことをいったのかもしれない。

わしは、そんなことを考えているうちに、いつのまにか、うとうととねむってしまった。

「なんで、カエルはカエレっていったんだ」

セッセがうでぐみをしていった。

「カエルだからじゃないの」

クックがいうと、

「なにそれ」

と、キッキが、クックをよこ目でにらんで、

「雨がふるからカエレって、しんせつにいってくれたんじゃないの」

といった。

「そうだ、わかった。しんせつなカエルさんは、雨がクルクルって、おしえてくれたんだ」

クックが、ひとさしゆびで、てんじょうをゆびさしていった。

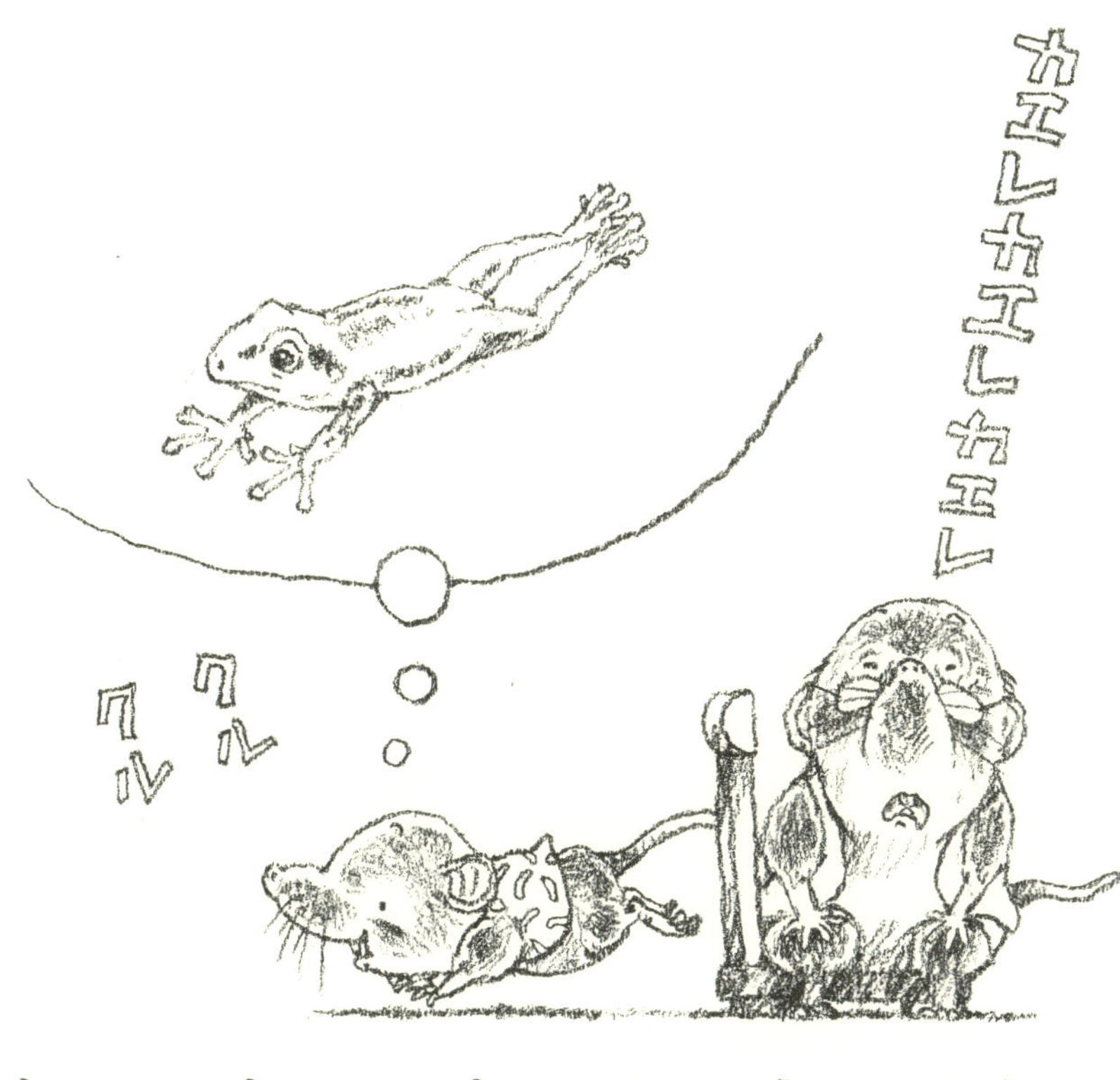

「カエルって雨がすきでしょ。だから、みんなで、雨ふってクレクレっていったのかもしれない」

キッキが、両手で雨をふらせながらいった。

「もうすぐ雨がふってくるから、カクレロカクレロっていったんだよ」

セッセが、両手を頭にのせていった。

「クルクルクル」

クックが、カエルになって鳴きだした。

「クレクレクレ」

キッキも、カエルになって鳴きだした。

「カクレロカクレロ」

セッセも、カエルになって鳴きだすと、

「カエレカエレカエレ」

と、トガリィじいさんも、カエルになって鳴きだした。トガリィじいさんのへやは、カエルたちの大がっしょうになった。

きゅうに、トガリィじいさんがカエルをやめて立ちあがった。キッキとセッセとクックも、カエルをやめて耳をすました。

「おやおや、雨がふってきたようだ。こんやの話は、これでおしまいにしよう。このつづきは、またあした」

トガリィじいさんが、へやのそとをのぞきながらいった。

「カエロ」

キッキがいうと、

「カエロ、カエロ」

セッセとクックもいった。

三びきは草の葉を頭にかぶって、くらやみの中をかけだした。トガリイじいさんも、草の葉を頭にかぶって、三びきを見おくった。

いわむら　かずお

1939年東京に生まれる。東京藝術大学工芸科卒業。

1975年東京を離れ、家族とともに栃木県益子町に移り住む。

「14ひきのシリーズ」（童心社）や「こりすのシリーズ」（至光社）など多くの作品が、フランス、ドイツ、中国、スイスなど多くの国でもロングセラーとなり、世界のこどもたちに親しまれている。

『14ひきのあさごはん』（童心社）で絵本にっぽん賞、『14ひきのやまいも』で小学館絵画賞、『ひとりぼっちのさいしゅうれっしゃ』（偕成社）でサンケイ児童出版文化賞、『かんがえるカエルくん』（福音館書店）で講談社出版文化賞絵本賞、エリックカールとの合作『どこへ行くの？ To See My Friend!』（童心社）でピアレンツ・チョイス賞（アメリカ）受賞。

1991年日本各地の森や山を歩き取材を重ねた「トガリ山のぼうけん」シリーズがスタート、1998年全8巻完結。

1998年栃木県那珂川町に「いわむらかずお絵本の丘美術館」を設立。絵本・自然・こどもをテーマに活動を続けている。

「ゆうひの丘のなかま」シリーズ（理論社）「ふうとはな」シリーズ（童心社）「カルちゃんエルくん」シリーズ（ひさかたチャイルド）などは、美術館のある「えほんの丘」に暮らす生きものたちを主人公に描いた作品である。

2014年、フランス藝術文化勲章シュヴァリエを受章。

＊本書は1991年～1998年に刊行された「トガリ山のぼうけん」シリーズ（全8巻）の新装版です。

トガリ山のぼうけん②
ゆうだちの森　新装版

2019年10月　初版
2019年10月　第1刷発行
文・絵　いわむらかずお
ブックデザイン　上條喬久
発行者　内田克幸
編集　岸井美恵子
発行所　株式会社理論社
東京都千代田区神田駿河台2-5
電話　営業 03-6264-8890
編集 03-6264-8891
URL https://www.rironsha.com
印刷・製本　中央精版印刷株式会社

ISBN978-4-652-20342-2
NDC913 A5判 22cm 135p

トガリ山のぼうけん（全8巻）
いわむらかずお

第①巻『風の草原』
第②巻『ゆうだちの森』
第③巻『月夜のキノコ』
第④巻『空飛ぶウロロ』
第⑤巻『ウロロのひみつ』
第⑥巻『あいつのすず』
第⑦巻『雲の上の村』
第⑧巻『てっぺんの湖』